PROFIL FORMATION

Collection dirigée par Georges Décote

500 FAUTES
DE FRANÇAIS
À ÉVITER

par Anny DEMARLY

Certifiée de Lettres modernes

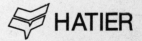
HATIER

Sommaire

© HATIER - PARIS FÉVRIER 1983

ISSN 0337 - 1425   ISBN   2 - 218 - 06275 - 5

Avant-propos

Pour réaliser ce « Profil », 600 copies de baccalauréat (session 1981, toutes sections, toutes matières littéraires) ont été dépouillées, les fautes et maladresses de langue systématiquement relevées. Parmi ces fautes, les plus répandues — 500 environ —, ont été retenues. Vous les trouverez ici, sous la forme de courtes citations de candidats, classées, corrigées, accompagnées le plus souvent d'une brève explication ou d'une remarque répondant aux questions que vous pourriez vous poser. Le volume se termine par un index alphabétique destiné à faciliter votre travail.

Si un petit nombre de ces fautes vous paraissent invraisemblables par leur gravité, elles n'en sont pas moins suffisamment courantes pour être étudiées. Nous n'avons voulu ni les passer sous silence ni les retoucher. De même avons-nous respecté le contenu des citations proposées.

Ce petit ouvrage n'a qu'un but pratique : vous aider à éliminer de tous vos travaux écrits, quelles qu'en soient la forme et la matière (disciplines littéraires, juridiques, économiques, scientifiques, résumés, versions, compositions françaises...), les fautes de français les plus durement sanctionnées aux examens.

Les corrections apportées aux fautes ne sont pas impératives. À condition de respecter la règle de grammaire qu'elles mettent en évidence, vous pouvez imaginer d'autres façons de dire les choses, plus personnelles, plus expressives. De même, rien ne vous empêche de consulter une grammaire ou un ouvrage beaucoup plus détaillé que celui-ci, pour plus ample informé[1].

---

1. Par exemple, *Le Français sans faute*, de P. Dagnaud-Macé et G. Sylnès dans cette même collection.

Les fautes courantes de conjugaison
Emploi incorrect de temps et de modes

1. Les fautes de conjugaison

| | |
| *n'écrivez pas* | *écrivez* |

a. Présent

n'écrivez pas	écrivez
Ce texte peind...	■ Ce texte peint...
Il restreind...	Il restreint...
Le progrès atteind...	Le progrès atteint...
Il tiend...	Il tient...
Cet arbre pert ses feuilles.	■ Cet arbre perd ses feuilles.
Cela dépent.	Cela dépend.
On vie (verbe vivre).	■ On vit.
Il exclue.	Il exclut.
Il conclue.	Il conclut.
Il inclue.	Il inclut.
Cela l'enrichie.	■ Cela l'enrichit.
On lui attribut...	■ On lui attribue... (verbe attribuer.)
Il le signal.	■ Il le signale.
Elle l'ennui.	Elle l'ennuie.
Cela me rappel...	Cela me rappelle...

n'écrivez pas	*écrivez*

b. Futur

On concluera.	■ On conclura.
Il fuiera.	Il fuira.
	(3e groupe.)
Ils ne se souciront pas.	■ Ils ne se soucieront pas.
Il n'étudira pas.	Il n'étudiera pas.
S'identifira-t-il à lui ?	S'identifiera-t-il à lui ?
	(de même : il aimera = aimer + a.)
En premier lieu, j'étudierais...	■ En premier lieu, j'étudierai...
Dès que je serais...	Dès que je serai...
Ensuite, j'essaierais...	Ensuite, j'essaierai...
Enfin, je donnerais mon opinion.	Enfin, je donnerai mon opinion.
	(Il s'agit ici du futur.)

c. Participe passé

Ils ont eut.	■ Ils ont eu.
Il y a eut.	Il y a eu.
Il a conclut.	Il a conclu.
Il a conclus.	
J'ai exclut.	J'ai exclu (elle est exclue).
J'ai exclus.	
Il est apparut.	Il est apparu.
J'ai inclut.	■ J'ai inclus (elle est incluse).
J'ai inclu.	
Il a accomplit.	■ Il a accompli.
Il a bannit.	Il a banni.
Il a choisit.	Il a choisi.
Il a définit.	Il a défini.
Il a établit.	Il a établi.
Il a gravit.	Il a gravi.
Il a subit.	Il a subi.
Il est sortit.	■ Il est sorti.
Il a suivit.	Il a suivi.

8

n'écrivez pas	*écrivez*
On a demander.	■ On a demandé.
On a essayer.	On a essayé.
On a laisser.	On a laissé.
Après avoir expliquer.	Après avoir expliqué.
On peut être retrouver poignarder.	On peut être retrouvé poignardé.
J'ai fais...	■ J'ai fait (la bêtise que j'ai faite).
J'ai écris.	J'ai écrit (la lettre que j'ai écrite).
Ils ont permit.	■ Ils ont permis (les vitesses permises).
Il est prit.	Il est pris (une prise de judo).
J'ai acquéris.	J'ai acquis (la vitesse acquise).

d. Subjonctif

Bien que j'ai.	■ *Bien que j'*ai**e**.
Bien que j'ais.	
Bien qu'il est faim.	*Bien qu'il* ait faim (avoir faim).
Bien que vous ayiez.	*Bien que vous* ayez.
Bien qu'il soye.	■ Bien qu'il soit.
Bien que je soie.	Bien que je sois.
Bien que vous soyiez.	Bien que vous soyez.
Bien qu'il voye.	■ Bien qu'il voie.
Bien qu'il croye.	Bien qu'il croie.

2. Confusions entre le verbe et l'adjectif ou le nom

a.

Les éléments constituants le paysage...:	■ Les éléments constitu**ant** le paysage... (=qui constituent)
Des arbres survivants à cette atmosphère...	■ Des arbres surviv**ant** à cette atmosphère...
Des gens vivants misérablement...	■ Des gens viv**ant** misérablement...

> **NB** Le participe présent est invariable.

b. Soi-disant

C'était un homme soit-disant occupé. ■ C'était *un homme* **soi**-*disant* occupé.

Les femmes au foyer, soit-disantes (ou ■ *Les femmes au foyer, soi-dis***ant** soient-disantes) sans profession, ne sans profession, ne touchent pas de touchent pas de salaire. salaire.

(« soi-disant » = se disant ; expression verbale invariable.)

La fusée, soi-disant, était en panne. ■ **On disait** (le bruit courait) **que** la fusée était en panne.

(La fusée ne peut dire qu'elle est en panne).

c.

En fatigant son cheval, il arriva le ■ **En** fatig**uant** son cheval, il arriva le premier. premier.

(*mais* : un enfant fatigant.)

L'auteur, convaincant le lecteur... ■ L'auteur, convain**quant** le lecteur...

(*mais* : un discours convaincant.)

Le paragraphe précédent la ■ Le paragraphe précéd**ant** la conclu-conclusion... sion...

(*mais* : Le paragraphe précédent est court.)

3. Mauvais emploi des modes : le conditionnel

a.

S'il se transforme en lecteur acharné, il ■ S'il se transforme en lecteur acharné, il deviendrait quelqu'un de cultivé. **deviendra** quelqu'un de cultivé (*ou* : il devient).

(La condition est considérée comme réa-lisée.)

b.

Si une machine sera dotée de ce pouvoir, les hommes seraient sous son contrôle.	■ Si une machine **était** dotée de ce pouvoir, les hommes **seraient** sous son contrôle. (La condition est considérée comme non réalisée, que ce soit dans le présent ou dans le futur.)

c.

S'il y aurait moins de machines, il y aurait moins de chômeurs.	■ S'il y **avait** moins de machines, il y **aurait** moins de chômeurs.

4. Mauvais emploi des modes : subjonctif/indicatif

a. Emploi fautif du subjonctif

Du fait que la machine devienne indispensable...	■ **Du fait** que la machine **devient** indispensable...
Les gens collectionnent n'importe quoi du moment que ce soit ancien.	■ Les gens collectionnent n'importe quoi **du moment que c'est** ancien.
Il est certain que cette autorité soit synonyme de...	■ Il est **certain** que cette autorité **est** synonyme de...
Tout le monde admet que notre seule richesse soit le cerveau.	■ Tout le monde **admet** que notre seule richesse **est** le cerveau.
Il est étonnant de voir que les crises soient accompagnées d'un goût immodéré pour le passé.	■ Il est étonnant de **voir** que les crises **sont** accompagnées d'un goût immodéré pour le passé.

b. Emploi fautif de l'indicatif

Bien qu'ils sont...	■ **Bien qu'ils soient...**
Bien qu'il faudrait le modifier...	■ **Bien qu'il faille** le modifier...
Ainsi, ils veulent que nous nous attachons au patrimoine.	■ Ainsi, **ils veulent que nous nous attachions** au patrimoine. (Verbe de volonté + subjonctif.)
Ils seront contraints de travailler, qu'ils le veulent ou non.	■ Ils seront contraints de travailler, **qu'ils le veuillent ou non**. (choix incertain : subjonctif.)
Il faut que j'ai...	■ **Il faut que j'aie...** (Verbe d'obligation + subjonctif.)

> **NB** **L'indicatif** est le mode des faits, des certitudes, des vérités.
> **Le subjonctif** est le mode du doute, de l'incertitude, des actions non réalisées.
> **Bien que** est toujours suivi du subjonctif.

Différent de. Croire, croire à, croire en.
Se rappeler, se souvenir, se remémorer.
Constructions sans préposition
et avec préposition.
Confusions entre : à, de, avec, par, pour,
sur, sous, vers, dans.

NB 1	Les prépositions sont invariables. Elles servent à rattacher deux termes qui n'ont pas la même fonction.
NB 2	Notez l'orthographe des prépositions suivantes : *à, malgré, selon, parmi, par.*

1. Fautes particulièrement répandues

n'écrivez pas   *écrivez*

a. Différent

Ces livres sont différents que ceux qui font réfléchir.	■ Ces livres sont *différents* **de** ceux qui font réfléchir.
Leurs écrivains écrivent différemment que les nôtres.	■ Leurs écrivains écrivent *différemment* **des** nôtres.

b. Croire

Il croyait à tout ce qu'il lisait dans les journaux.	■ *Il croyait tout* ce qu'il lisait dans les journaux.
	mais : • Croire en Dieu (avec le cœur).
	• Croire à Dieu, à la Science (avec l'intelligence).

c. Se remémorer qq. ch.
Se rappeler qq. ch.
Se souvenir de qq. ch.

Elle se remémore de son enfance.	■ *Elle se remémore son enfance.*
Il se remémore à des souvenirs.	■ *Il se remémore des souvenirs.*
Je m'en rappelle.	■ *Je me **le** rappelle.*
Tout ce dont il se rappelle...	■ Tout **ce qu'**il se rappelle...
Il se rappelle d'un jour où...	■ *Il se rappelle un jour* où...
Le héros se souvient avoir été jeune.	■ Le héros *se souvient **d'**avoir été jeune.*
Il se souvient qu'il jouait.	■ *Il se souvient **d'**avoir joué.*

2. Confusions entre constructions sans préposition et constructions avec préposition

Il pardonne Cinna.	■ Il pardonne **à** Cinna.
Quelque chose inhabituel...	■ Quelque chose **d'**inhabituel...
Vis-à-vis cette question...	■ Vis-à-vis **de** cette question...
Exiger à une augmentation.	■ *Exiger une augmentation.*

14

n'écrivez pas	*écrivez*
Ils prétendent à en faire partie.	■ *Ils prétendent en faire partie.* *mais* : Ils prétendent **à** la gloire.
Ils lui en empêchent.	■ *Ils* l'*en empêchent.*
Il satisfait au lecteur.	■ *Il satisfait le lecteur.* *mais* : On satisfait **à** une demande.
Nous allons traiter sur ce sujet.	■ Nous allons *traiter ce sujet.*
Sa structure a influencé sur son évolution.	■ Sa structure *a influencé son évolution.*
Une personne sera jugée de folle.	■ Une personne *sera jugée folle.*
Le progrès est considéré de bon.	■ Le progrès est considéré **comme** bon.
Ce chant, qu'on peut appeler de divin...	■ Ce chant, qu'on peut *appeler* divin... *ou* : Ce chant, qu'on peut *qualifier* **de** divin...

3. Confusions entre différentes prépositions

a. « A » mis pour « DE »

On est avide à retrouver le confort.	■ On est *avide* **de** retrouver le confort.
Il est digne à accéder au trône.	■ Il est *digne* **d'**accéder au trône.
Ce qui résulte à une décadence.	■ Ce qui *résulte* **d'**une décadence.
La culture ne peut être séparée à la société.	■ La culture ne peut être *séparée* **de** la société. (Être coupé **de** ; être éloigné **de**.)
Ils tentent à les aider.	■ Ils *tentent* **de** les aider. *mais* : Ils tentent une sortie.

15

n'écrivez pas	*écrivez*
Certaines personnes s'efforcent à le faire connaître.	■ Certaines personnes *s'efforcent* **de** le faire connaître. *mais* : Il s'efforce **à** l'action.

b. « A » mis pour « AVEC »

Mais s'il est trop familier à son patron...	■ Mais s'il est trop *familier* **avec** son patron...
Les animaux se confondent aux automates.	■ Les animaux *se confondent* **avec** les automates.

c. « DE » mis pour « A »

Personne ne lui avait appris de relier les faits entre eux.	■ Personne ne lui *avait appris* **à** relier les faits entre eux.
Elle ne comprend rien de ce qu'elle raconte.	■ *Elle ne comprend rien* **à** ce qu'elle raconte.
Les thèmes qui sont intéressants d'étudier...	■ *Les thèmes* qui sont *intéressants* **à** *étudier*... (C'est bon **à** savoir.)

d. « DE » mis pour « PAR »

Il ne peut être déçu de ses résultats.	■ Il ne peut *être déçu* **par** *ses résultats*.
Il est guidé du cadre où il vit.	■ Il *est guidé* **par** le cadre où il vit.
Il est intéressé de ce qui l'entoure.	■ Il *est intéressé* **par** ce qui l'entoure.

e. « AVEC » mis pour « A » et « DE »

La recherche est liée avec la crise.   ■ La recherche *est liée* à la crise.

L'arbre est associé avec la vie.   ■ L'arbre *est associé* à la vie.
                              mais : On s'associe **avec** quelqu'un.

La crise s'accompagne avec la réaction.   ■ La crise *s'accompagne* **de** la réaction.

f. « POUR » mis pour « A »

Consacrer sa vie pour l'avenir.   ■ *Consacrer* sa vie à l'avenir.

Porter un intérêt pour l'occultisme.   ■ *Porter un intérêt* à l'occultisme.

g. SUR

Une initiation sur l'art...   ■ Une *initiation* à l'art...
                       (Initier qqu'un à qq. ch.)

En nous intéressant sur les aspects...   ■ *En* nous *intéressant* **aux** aspects...

Ce caractère fantastique semble s'étendre sur la nature entière.   ■ Ce caractère fantastique semble *s'étendre* à la nature entière.
                   mais : s'étendre **sur** un lit, **sur** la plage.

Il le fait douter sur son origine.   ■ Il le fait *douter* **de** son origine.

Voltaire fait une satire sur la religion.   ■ Voltaire *fait une satire* **de** la religion.

Il tire une leçon sur son expérience.   ■ Il *tire* une leçon **de** son expérience.
                   (extraire le charbon **de** la terre)

Se tourner sur le passé.   ■ *Se tourner* **vers** le passé.
                   mais : se retourner **sur** quelqu'un dans la rue.

Sur divers points de vue.   ■ **A, sous** divers points de vue.
Sur ce point de vue.   **A, sous** ce point de vue.

Sur ce domaine...   ■ **Dans** ce domaine...

h. DANS

Il faut se référer dans le passé.

■ Il faut *se référer* **au** passé.
mais : *prendre* ses références **dans** le passé.

Il se produisit un retour dans le passé.

■ Il se produisit *un retour* **au** *passé*.
(Le retour **aux** sources.)
mais : Il retourna **dans** sa ville.

Dans ces ouvrages, émane la nostalgie.

■ **De** ces ouvrages, *émane* la nostalgie.
(émaner de)

Fautes relatives aux : 3

Articles, adjectifs possessifs, pronoms, adverbes, conjonctions

1. Un/une ; le/la/les

n'écrivez pas	*écrivez*

a.

Il devait fournir un effort le plus important.	■ Il devait fournir l'effort le plus important.
Il éprouve un désir de la rencontrer.	■ Il éprouve le désir de la rencontrer.

b.

Les rites et coutumes appartenant à la culture...	■ Les rites et les coutumes appartenant à la culture... *mais* : les us et coutumes (expression toute faite).
Les riches et pauvres sont en guerre.	■ Les riches et les pauvres sont en guerre. *ou* : *Riches et pauvres* sont en guerre.
Il y a toujours présence des autres pour nous réconforter.	■ Il y a toujours la présence des autres pour nous réconforter.

c.

Les éléments naturels sont doués de la pensée.	■ Les éléments naturels sont *doués* **de** *pensée.*
Ce texte est dénué de la poésie.	■ Ce texte est *dénué* **de** *poésie.*
Notre imagination est réduite au néant.	■ Notre imagination est *réduite* **à** *néant.*
En tant qu'une aide à...	■ *En tant qu'aide* à...

2. Emploi incorrect de l'adjectif possessif

a.

Les papiers à sa main, il s'approche.	■ Les papiers à **la** main, il s'approche.

b.

Elle avait rangé sa robe que sa mère lui avait donnée.	■ Elle avait rangé **la robe que** sa mère lui avait donnée.
L'Homme aime la nature pour ses bienfaits qu'elle lui procure.	■ L'Homme aime la nature pour **les bienfaits dont** elle le comble. *ou* : L'Homme aime la nature pour **ses bienfaits.**

c.

Il découvre le bureau. Il voit que ses tiroirs sont cassés.	■ Il découvre le bureau. Il voit que **les** tiroirs (en) sont cassés. *ou* : Il découvre le bureau et **ses** tiroirs cassés. *mais* : La montagne fait peur. Ses pièges sont mortels. (Personnification.)

3. Fautes relatives aux pronoms : celui-ci/celui-là ; celui, celle ; dont/que/auquel ; le, la

a. Orthographe

Ceçi ; celui-çi ; celà.	■ Ceci ; celui-ci ; cela.
Les poètes auquels...	■ Les poètes auxquels... (féminin, pluriel : auxquelles)
La pluspart.	■ **La plupart.**

b. Ceci/cela. Celui-ci/celui-là

Tout ceci pour dire...	■ Tout **cela** pour dire...
L'Homme domine la nature et ceci est suggéré par...	■ L'Homme domine la nature et **cela** est suggéré par...
Son achat terminé, elle comprend cela : on l'a trompée.	■ Son achat terminé, elle comprend **ceci** : on l'a trompée.
Elle a besoin de ses collègues pour comprendre. Mais celles-là ne l'aident pas.	■ Elle a besoin de ses collègues pour comprendre. Mais **celles-ci** ne l'aident pas.
Zola et le journaliste se contentent $_1$ $_2$ d'être des spectateurs. Mais alors que le journaliste rédige un article, celui-$_2$ $_3$ $_3$ ci écrit un roman.	■ Zola et le journaliste se contentent $_1$ $_2$ d'être des spectateurs. Mais alors que *celui-ci* rédige un article, *celui-là* $_2$ $_3$ $_1$ écrit un roman.

c. Celui, celle (qui)

Celle la plus riche...	■ **Celle qui** est la plus riche...
Celle après la première...	■ **Celle qui** se présente après la première...
Celle antérieure...	■ **Celle qui** est antérieure...

n'écrivez pas	*écrivez*
Celle à venir...	■ **Celle qui** est à venir...
Celui caractérisé...	■ **Celui qui** est caractérisé...
La différence physique et celle morale...	■ La différence *physique et morale*...

d. Les pronoms relatifs

Il ne connaissait pas l'Art dont d'ailleurs il méprisait.	■ Il ne connaissait pas l'Art **que** d'ailleurs il méprisait. (Que : C.O.D. de méprisait.)
Cela dépend de l'usage dont il voudra en faire.	■ Cela dépend de l'usage **qu'**il voudra en faire.
Les droits que les seigneurs jouissaient furent abolis.	■ Les droits **dont** les seigneurs jouissaient furent abolis. (Jouir **de**.)
Il ne peut acheter tout ce qu'il a envie.	■ Il ne peut acheter tout ce **dont** il a envie. (Avoir envie **de**.) *mais* : Il peut acheter ce qu'il veut.
Les difficultés auxquelles nous tenons le progrès pour responsable...	■ Les difficultés **dont** nous tenons le progrès pour responsable... (responsable **de**) *mais* : Les difficultés auxquelles nous faisons face. (Faire face **à**.)
La banque à qui il a confié sa fortune...	■ *La banque* **à laquelle** il a confié sa fortune... *mais* : *Le banquier* **à qui** il a confié sa fortune...

e. Le, la

Demain sera-t-il agréable ? Je ne crois pas.	■ Demain sera-t-il agréable ? Je ne **le** crois pas.

n'écrivez pas	écrivez
L'explication, qui était exacte, ou du moins paraissait...	■ L'explication, qui était exacte, ou du moins **le** paraissait...
Il lui achète (la pendule).	■ Il **la** lui achète.
Il lui donne (le sac).	■ Il **le** lui donne.

4. Fautes relatives aux adverbes : orthographe ; adverbes en « ment » ; tout ; tant que/si que

a. Orthographe

Ailleur ; certe.	■ **Ailleurs** ; **certes**.
Dailleurs ; d'avantage.	■ **D'ailleurs** ; **d**avantage.
Quelque fois.	■ **Quelquefois.**
Ils ont beaucoups travaillé.	■ Ils ont beaucou**p** travaillé.
Tous ensembles.	■ Tous ensemble.
Les mineurs sont loins. Ses romans sont loins d'être nuls.	■ Les mineurs sont loi**n**. Ses romans sont loi**n** d'être nuls.

b. Adverbes en « ment » : orthographe

Apparament. Précédament.	■ Appare**mm**ent (apparent). Précéde**mm**ent (précédent).
Différement. Évidement. Intelligement.	■ Différe**mm**ent. Évide**mm**ent. Intellige**mm**ent.
Constament. Suffisament.	■ Consta**mm**ent. Suffisa**mm**ent.
Forcémment.	■ Forcément.

n'écrivez pas	écrivez
Dangeureusement.	■ Dangereusement (dangereuse).
Seuleument.	Seulement (seule).
Gaiment.	■ Gaîment ou gaiement.
Gentillement.	■ **Gentiment**.
Tranquilement.	■ Tranquillement (tranquille).

c. Tout

La nature toute entière.	■ La nature **tout** entière.
La vieille femme toute émue.	■ La vieille femme **tout** émue.
Ce sont de tous petits livres.	■ Ce sont de **tout** petits livres. Mais : — une toute petite fille, — de toutes petites filles.

> **NB Tout**, adverbe, prend la marque du féminin ou du féminin pluriel, s'il modifie un adjectif au féminin ou au féminin pluriel commençant par une consonne. Sinon, il est invariable, comme tous les autres adverbes.

d. Tant...que/si...que

Elle avait tant peur des « on-dit », qu'elle l'avait cachée.	■ Elle avait **si** *peur* des « on-dit », qu'elle l'avait cachée. *ou* : Elle craignait **tant** les « on-dit », qu'elle l'avait cachée.
Il obtint un résultat tant bon qu'il fut engagé.	■ Il obtint un résultat **si** *bon* qu'il fut engagé.

5. Fautes relatives aux conjonctions :
   mais, donc, car, si, bien que/malgré que

Notez l'orthographe des conjonctions suivantes :
or, parce que, lorsque.

a. Mais, donc, car

Zola est né à Paris en 1840. Mais, il prétendait qu'un roman...	■ Zola est né à Paris en 1840, **mais** il a passé son enfance en Provence. →(« Mais » coordonne deux affirmations opposables.)
Dans ce poème, Supervielle chante la vie. Nous allons donc essayer de le commenter.	■ Dans ce poème, Supervielle chante la vie. Nous allons essayer de le commenter. *ou* : Dans ce poème, Supervielle chante la vie. Nous allons **donc** essayer d'étudier les images évocatrices de ce thème. →(« Donc » coordonne un fait et la conséquence de ce fait.)
La Science est inutile car elle coûte cher.	■ La Science est inutile, et en plus (en outre), elle coûte cher. →(« Car » coordonne un fait et la cause, l'explication, de ce fait.)

b. S'il

Si il est vrai que...	■ **S'il** est vrai que...
Si ils refusaient...	■ **S'ils** refusaient...
S'il on peut dire...	■ **Si on** peut dire... *Ou* : **Si l'on** peut dire...

c. Bien que/malgré que

Malgré qu'il ait peur, il décide d'y aller.

■ **Bien qu'**il **ait** peur, il décide d'y aller.

ou : **Quoiqu'**il **ait** peur, il décide d'y aller.

ou : **Malgré sa peur**, il décide d'y aller.
→ («Malgré» est directement suivi d'un nom, ou d'un pronom.)

Malgré que le monde évolue...

■ **Bien que** le monde **évolue**...

Quoique le monde **évolue**...

Malgré l'évolution du monde...

Ses/ces ; Leur/leurs ; Se/ce ; Ceux/ce ;
Ce qui/ce qu'il.
Quant à/quand ; Qu'elle/quelle ;
Ainsi/aussi.
Tout autre/ toute autre ; Même/mêmes ;
Excepté/exceptés.

n'écrivez pas	*écrivez*

1. Ses/ces

Il utilise ces collègues pour arriver.	■ Il utilise **ses** collègues pour arriver (les siens).
Lorsque Candide voit toutes ses ruines...	■ Lorsque Candide voit toutes **ces** ruines... (celles qu'il a sous les yeux)
En ses termes.	■ En **ces** termes.

2. Leur/leurs

Il leurs faut de l'argent.	■ Il **leur** faut de l'argent.
Il leurs doit de l'argent.	■ Il **leur** doit de l'argent.
Il leurs en impose.	■ Il **leur** en impose.
Les films qui leurs sont proposés...	■ Les films qui **leur** sont proposés... →(Devant un verbe, « leur » est invariable.)

3. Se/ce

Ce qui c'était passé.	■ Ce qui s'était passé (**se** passer).
Ensuite, il c'est retourné.	■ Ensuite, il s'est retourné (**se** retourner).
S'était ainsi qu'il voyageait.	■ **C'**était ainsi qu'il voyageait.
En se qui concerne...	■ En **ce** qui concerne...
Chacun interprète se qu'il entend.	■ Chacun interprète **ce** qu'il entend.

4. Ceux/ce

Ceux sont des fantasmes qu'il exprime.	■ **Ce** sont des fantasmes qu'il exprime.
Ceux sont ceux-là qui sont responsables.	■ **Ce** sont ceux-là qui sont responsables.

5. Ce qui/ce qu'il

Voici ce qu'il s'est produit :...	■ Voici **ce qui** *s'est produit* :...
L'esprit qu'il régnait en 1870...	■ L'esprit **qui** *régnait* en 1870...
Le temps qu'il s'est écoulé...	■ Le temps **qui** *s'est écoulé*...
Ce qui faut en retenir...	■ **Ce qu'il** *faut* en retenir... (Falloir est toujours impersonnel.) (Vous pouvez écrire indifféremment : →**Ce qu'il** arrive ou **ce qui** arrive ; **ce qu'il** résulte ou **ce qui** résulte.)

6. Quant à/quand

Quant il écrit que...	■ Quan**d** il écrit que... (=lorsqu'il écrit que...)
Quant il mourut...	■ Quan**d** il mourut...
Quand à moi...	■ Quan**t** à moi... (=en ce qui me concerne.)
Quand au dernier vers...	■ Quan**t** **au** dernier vers...

7. Qu'elle/quelle

Les chansons, quelles soient poétiques
ou commerciales...

■ Les chansons, **qu'elles** soient poétiques
ou commerciales...
(=**que** les chansons soient poétiques ou
commerciales.)

L'information, quelle soit de gauche ou
de droite...

■ L'information, **qu'elle** soit de gauche
ou de droite...
(=**que** l'information soit de gauche ou de
droite.)

N'importe qu'elle œuvre...

■ **N'importe quelle** œuvre...
(=n'importe laquelle de ces œuvres.)
(De même : telle quelle.)

8. Ainsi/aussi

Les hommes politiques travaillent à
la renaissance du patriotisme : ainsi
veulent-ils que nous nous attachions
au patrimoine national.

■ Les hommes politiques travaillent à
la renaissance du patriotisme : **ainsi**,
ils veulent que nous nous attachions
au patrimoine national.
(« ainsi » : adverbe.)
Ou : **aussi** *veulent-ils* que nous nous
attachions à notre patrimoine.
(« aussi » : conjonction=c'est pourquoi.)

Ainsi avaient-ils préparé leur affaire.

■ **Ainsi**, *ils avaient préparé* leur affaire.
Ou : **Aussi** *avaient-ils préparé* leur
affaire.

Aussi bizarre que cela semble-t-il...

■ **Aussi** *bizarre que cela semble*...
(« aussi » + adjectif=adverbe.)

> **NB Ainsi**, **aussi**, adverbes, n'entraî-
> nent pas l'inversion du sujet.
> **Aussi**, conjonction, entraîne l'inver-
> sion du sujet.

9. Tout autre/toute autre

Le lecteur est habitué à une toute autre vie.

■ Le lecteur est habitué à une tout *autre* vie.
(=une vie totalement différente.)
(« Tout » : adverbe.)

Le travail à la chaîne lui ferme les portes de tout autre profession.

■ Le travail à la chaîne lui ferme les portes de tou**te** *autre* profession.
(=de toutes les autres professions.)
(« Tout » : adjectif, s'accorde avec « profession ».)

L'argent est la raison de vivre du rock et de tout autre musique.

■ L'argent est la raison de vivre du rock et de tou**te** *autre* musique.
→(De même : je veux tout autre chose = je veux une chose entièrement différente. Je veux toute autre chose = je veux toutes les autres choses.)

10. Même/mêmes

Les choses, mêmes inertes...

■ Les choses, **même** inertes...

Mêmes les lois...

■ **Même** les lois...

Tous deux étaient mêmes assez liés.

■ Tous deux étaient **même** assez liés.
(Dans ces trois cas, « même » est adverbe, donc invariable.)
mais : — ce sont les mêmes (pronom) ;
— nous-mêmes ; vous-mêmes ; eux-mêmes ; elles-mêmes (adjectif).

11. Vu, excepté, sauf

Vus les caractères du texte...

■ **Vu** les caractères du texte...

Exceptés les livres de fiction.

■ **Excepté** les livres de fiction.

Saufs le chien et l'homme.

■ **Sauf** le chien et l'homme.
→(« Vu », « excepté », « sauf », sont ici des prépositions, donc invariables.
Comparez : Le chien et l'homme sont saufs.)

30

Fautes relatives au nombre (singulier/pluriel) et au genre (masculin/féminin)

5

A. FORMES ET EMPLOIS DU SINGULIER ET DU PLURIEL

1. Cas du complément de nom employé sans article ni adjectif possessif ou démonstratif

(Ex. : un parc de stationnement, des parcs de stationnement.)

n'écrivez pas	*écrivez*
a.	
Les verbes d'actions.	■ *Les verbes d'action* (qui expriment l'action en général).
Des états d'âmes.	■ *Des états d'âme* (qui affectent l'âme).
Des œuvres d'arts.	■ *Des œuvres d'art* (qui appartiennent au domaine de l'art).
Des pôles d'attractions.	■ *Des pôles d'attraction* (qui exercent une attraction).
Des livres à caractères mystérieux.	■ Des livres *à caractère mystérieux* (qui ont un caractère de mystère).
Les moyens de communications.	■ *Les moyens de communication* (qui permettent de communiquer).

n'écrivez pas	*écrivez*
Les techniques d'édifications.	■ *Les techniques d'édification* (qui permettent d'édifier).
Des solutions de facilités.	■ *Des solutions de facilité* (qui ont pour origine la facilité, la paresse).
Des chefs-d'œuvres.	■ *Des chefs-d'œuvre* (l'œuvre est **un ensemble** de techniques).
Des problèmes d'ordres économiques.	■ Des problèmes d'*ordre économique* (qui appartiennent au domaine de l'économie).
Des moyens de productions.	■ *Des moyens de production* (qui assurent la production).
Des figures de rhétoriques.	■ *Des figures de rhétorique* (qui appartiennent à la rhétorique).
Des moyens de transports.	■ *Des moyens de transport* (qui permettent de transporter).
Des ouvrages de valeurs.	■ *Des ouvrages de valeur* (qui ont de la valeur).
Des modes de vies.	■ *Des modes de vie* (des façons de vivre).
Des points de vues.	■ *Des points de vue* (où l'on se place pour voir).

b.

Un chiffre d'affaire.	■ Un chiffre d'affaires (les affaires ; un homme d'affaires ; faire des affaires).
Un état de chose.	■ Un état de choses (tous les éléments que comporte une situation).

n'écrivez pas	*écrivez*
Un centre de loisir.	■ Un centre de loisirs (offre de nombreuses activités).
Une maison de vacance.	■ Une maison de vacances (pour passer les vacances).
Un parc à voiture.	■ Un parc à voitures (rarement réservé à une seule voiture !).

c. Genre, sorte

Tel lecteur cherchera à s'évader (...) Mais ce genre de lecteurs...	■ *Tel lecteur* cherchera à s'évader (...) Mais *ce genre de lecteur...*
Des livres de tous genres.	■ Des livres de tout genre.
Toute sorte de lecteurs.	■ Toutes sortes de lecteurs.

2. Expressions appelant le singulier
Expressions appelant le pluriel

a.

Mettre sur pieds.	■ Mettre **sur pied** (donner une base à ; fonder).
Aux pieds d'une montagne.	■ **Au pied** d'une montagne (à la base, au bas).
Entrer en jeux.	■ Entrer **en jeu** (dans le jeu).
Aux grés de son adversaire.	■ **Au gré de** son adversaire (selon le bon plaisir de son adversaire).
Au bout de quelques temps.	■ Au bout de quelque temps (une certaine durée).
Depuis quelques temps.	■ Depuis quelque temps (depuis un certain moment).

n'écrivez pas	*écrivez*
De siècles en siècles.	■ De siècle en siècle (d'un siècle à un autre siècle).
De jours en jours.	■ De jour en jour.
De générations en générations.	■ De génération en génération.
De villes en villes.	■ De ville en ville (= d'un point à un autre).
De temps à autres.	■ De temps à autre.
De tous temps.	■ De tout temps.
Aux cours des siècles.	■ **Au** cours des siècles (selon le cours...).
Six fois par jours.	■ Six fois par jour (six fois en un jour).
Il ne se passe pas de jours où...	■ Il ne se passe pas de jour où... (il ne se passe pas un seul jour).
De toutes façons.	■ De toute façon (quoi qu'il en soit).
En détails.	■ En détail (dans le détail).

b.

Parler en terme d'économie.	■ Parler en termes d'économie (un discours comprend plusieurs termes).
Au dépend de...	■ **Aux dépens de...** (faire supporter toutes les « dépenses » par).
A grand pas. A grand coup.	■ A grands pas. A grands coups.
Il y a moins d'accident.	■ Il y a moins d'accidents.

34

n'écrivez pas	*écrivez*
Nombre d'accident.	■ Nombre d'accidents (=de nombreux).
Une fois pour toute.	■ Une fois pour toutes (=pour toutes les fois).
De toute pièce.	■ De toutes pièces (=en inventant tous les éléments).
En tout point.	■ En tous points.
Entre autre.	■ Entre autres (=parmi d'autres).
Chacune d'entre elle.	■ Chacune d'entre elles (=parmi elles).
Les conflits entre génération.	■ Les conflits entre générations (il faut qu'elles soient au moins deux).

3. Chaque, maint, parmi, sans

a. Chaque

Chaques pays.	■ Chaque pays.
Chaques journaux ne sont qu'un tissu de mensonges.	■ **Chaque journal n'est** qu'un tissu de mensonges.
A chaque vacances.	■ A chaque période de vacances. (De même : chacun viendra ; aucun journal ; aucun ne viendra.)

b. Maint

Mainte fois.	■ Maintes fois.

c. Parmi

L'individu esseulé se promène parmi la foule.	■ L'individu esseulé se promène **dans** la foule. (« Parmi » doit être suivi d'un nom ou d'un pronom au pluriel.)

d. Sans

n'écrivez pas	écrivez
Sans doutes.	■ Sans doute.
Sans fautes (venir).	■ Sans faute.
Sans raisons.	■ Sans raison.
Sans scrupules.	■ Sans scrupule.
Sans soucis.	■ Sans souci.

4. Les aïeuls/les aïeux. Banals/banaux

En Histoire, on nous fait étudier la vie de nos aïeuls pour que nous ayons le sentiment d'appartenir à une communauté.

■ En Histoire, on nous fait étudier la vie de nos **aïeux** pour que nous ayons le sentiment d'appartenir à une communauté.
(Les aïeuls = les grands-parents ;
les aïeux = les ancêtres.)

Les termes employés sont banaux.

■ Les termes employés sont **banals**.
mais : Des moulins banaux (terme historique. Il s'agit des moulins à usage collectif).

B. FAUTES RELATIVES À LA FORME ET À L'EMPLOI DU MASCULIN ET DU FÉMININ

1. Espèce

Un espèce de théâtre.

- **Une** *espèce* de théâtre
  (« espèce » est un nom féminin).

2. Cette/cet

Cette ordre.

- **Cet** ordre.

Cette ensemble.

- **Cet** ensemble.

Cette acte.

- **Cet** acte.

3. Adjectifs à forme unique

Un ennui pécunier, une difficulté pécunière.

- *Un ennui* **pécuniaire**, *une difficulté* **pécuniaire**.
  (De même : **un** sujet difficile, **une** question difficile ; **un** personnage ridicule, **une** réponse ridicule.)

4. Masculin ou féminin ?

Un atmosphère.

- **Une** atmosphère.

Un échappatoire.

- **Une** échappatoire.

Un orbite.

- **Une** orbite.

Une antre.

- **Un** antre.

Une augure.

- **Un** augure.

Une éloge.

- **Un** éloge.

Une exutoire.

- **Un** exutoire.

Une hémisphère.

- **Un** hémisphère.

Une historique.

- **Un** historique.

Les media sont intéressantes.

- **Les media sont intéressants.**

6

Les fautes d'accord

L'accord du verbe
L'accord du participe passé conjugué
avec «être» ou «avoir»
L'accord de l'adjectif

1. L'accord du verbe avec son sujet

Rappel : Dans tous les cas, le verbe s'accorde en
nombre et en personne avec son sujet.

n'écrivez pas	*écrivez*

a. Confusion entre le sujet et le complément

Il les obligeaient.	■ Il les obligeait (sujet : il).
Elle les comparaient.	■ Elle les comparait.
Le peuple les acceptent.	■ Le peuple les accepte.
Ce qui leur plaisent ; ce qui leur plaisaient.	■ Ce qui leur plaît ; ce qui leur plaisait.

b. Tournures impersonnelles

Il y avaient des arbres..	■ Il y avait des arbres.

n'écrivez pas	*écrivez*
Il(s) suffisaient qu'ils viennent.	■ Il suffis**ait** qu'ils viennent.
Il leur manquaient un franc.	■ Il leur manqu**ait** un franc.
Il leur fallaient de l'argent.	■ Il leur fall**ait** de l'argent.

c. Soit/soient
C'est/ce sont

Soit deux peintres observant le même arbre...	■ **Soient** deux peintres observant le même arbre... (= supposez deux peintres) *mais* : Il boit soit des sirops, soit de l'eau.
C'est les artisans qui enrichissent un pays.	■ **Ce sont** les artisans qui enrichissent un pays.
C'était les Romantiques.	■ C'ét**aient** les Romantiques. *mais* : C'est eux, c'est nous.

d. Accords délicats

C'est un des éléments qui manifeste cette métamorphose.	■ C'est un des éléments qui manifest**ent** cette métamorphose.
Un des soucis qui le touche...	■ Un des soucis qui le touch**ent**...
Le patron ou l'ouvrier cèderont.	■ Le patron ou l'ouvrier cèd**era**. (un seul cèdera) *mais* : Un roman ou une pièce représent**ent** (ou représente) un plaisir (aussi bien l'un que l'autre).
L'un et l'autre personnage seront étudiés.	■ L'un et l'autre personnage **sera** étudié. *mais* : L'un et l'autre **seront** étudiés.

> **NB** Quand le sujet du verbe est : la plupart, une partie de, la majorité de (des), la minorité de (des), le verbe peut se mettre indifféremment au singulier ou au pluriel.

e. Le sujet multiple

La création et l'imagination n'est-elle pas...	■ La création et l'imagination ne **sont**-elles pas... s1 s2
L'ennui, la dépression, la nervosité s'empare alors de lui.	■ L'ennui, la dépression, la nervosité s1 s2 s3 s'empar**ent** alors de lui.
L'arbre du berger, toute la forêt, se met à chanter.	■ L'arbre du berger, toute la forêt se mett**ent** à chanter.

f. Le sujet inversé

Comme nous le montre les verbes...	■ Comme nous le montr**ent** les verbes... s
Les avantages que nous procure les sciences...	■ Les avantages que nous procur**ent** les sciences... s
La pollution qu'engendre les techniques...	■ La pollution qu'engendr**ent** les techniques... s
On ne peut prévoir ce que sera les structures...	■ On ne peut prévoir ce que **seront** les structures... s

2. L'accord du participe passé

a. Participe passé conjugué avec « être »

On est venue. On est prise par l'action.	■ On est venu. On est pris par l'action. (Sauf si le contexte indique nettement que « on » représente un nom au féminin.)
Quand les juges sont entré...	■ Quand *les juges sont entré*s...
Les vacances étaient déjà terminé.	■ **Les** vacances étaient déjà terminé**es**.

> **NB** Le participe passé conjugué avec « être » s'accorde avec le sujet du verbe.

b. Participle passé des verbes pronominaux
(Exemple de verbe pronominal : se regarder.)

Elle s'est promené.

■ Elle *s'*est promen**ée**.
(Elle a promené qui ? — s' représentant
« elle ». Le C.O.D. du verbe est donc placé
avant ce verbe. Dans ce cas, le participe
passé du verbe pronominal s'accorde avec
le C.O.D.)

C'était la question que ses sœurs
s'étaient posées.

■ C'était *la question* que ses sœurs
s'étaient pos**ée**.
(C.O.D. = « la question » ; placé avant le
verbe ; accord.)

Elle s'était posée la question.

■ Elle s'était pos**é** *la question*.
(C.O.D. placé après le verbe ; pas
d'accord.)

Ils se sont parlés.

■ Ils se sont parl**é**.
(Pas de C.O.D. ; donc pas d'accord.)

Gervaise s'est rendue compte de son
erreur.

■ Gervaise s'est rend**u** compte de son
erreur.

c. Participle passé conjugué avec « avoir »

L'œuvre qu'il a construit...

■ *L'œuvre qu'*il a constru**ite**...
(C.O.D. placé avant le verbe ; accord du
participe passé avec ce C.O.D.)

Les misères qu'elle a connu...

■ *Les misères qu'*elle a conn**ues**...

Il faut assimiler ce que nous ont appri-
ses les années précédentes.

■ Il faut assimiler *ce que* nous ont
appri**s** les années précédentes.

L'auteur a écrite cette phrase.

■ L'auteur a écri**t** *cette phrase*.
(C.O.D. placé après le verbe.)

La situation n'a pas évoluée.

■ La situation n'a pas évolu**é**.
(Pas de C.O.D.)

> **NB** Le participe passé des verbes prono-
> minaux et les participes passés conjugués
> avec « avoir » s'accordent avec le C.O.D.
> du verbe si ce C.O.D. est placé avant.

d. (se) Faire + infinitif

Elle l'avait faite sortir du couvent.

- Elle l'avait *fait sortir* du couvent.

Quand elle s'est faite connaître...

- Quant elle s'est *fait connaître*...
  →(Le participe passé du verbe « faire » reste invariable quand il est suivi d'un infinitif.)

3. L'accord de l'adjectif

a. L'adjectif qualificatif

Bien rare sont ceux qui...

- Bien rares sont *ceux* qui...

Seul une présence...

- Seule *une présence*...

Seul les oiseaux chantent.

- Seuls *les oiseaux* chantent.

Seule la lyre et le vent chantent.

- Seuls *la lyre et le vent* chantent.

Ils se sentent incapable.

- *Ils* se sentent incapables.

Il rend les gens indifférent.

- Il rend *les gens* indifférents.

C'est un des facteurs les plus grave.

- C'est un **des** facteurs **les** plus graves.

Un personnage des plus ridicule, des plus inquiétant.

- Un personnage **des** plus ridicules, **des** plus inquiétants.

Les nuages, bleus pâles, lui font comme un voile.

- Les nuages, **bleu pâle**, lui font comme un voile.
  (Les nuages bleus, bleu clair, →bleu nuit.)

Des gentilhommes, des bonhommes.

- Des gentilshommes, des bonshommes.

n'écrivez pas	*écrivez*

b. Possible

Sur tous les points possible.	■ Sur tous **les** points possible**s**.
Tous les projets possible.	■ Tous **les** projets possible**s**.
Il peignait des tableaux, les plus beaux possibles.	■ Il peignait des tableaux, les plus beaux possible. (=les plus beaux qu'il était possible.)

c. Tel

Des solutions sont possibles, tel que la recherche de la vérité et la création de chefs-d'œuvre.	■ *Des solutions* sont possibles, **telles** que la recherche de la vérité et la création de chefs-d'œuvre.
Une description tel que la nature paraît idéalisée.	■ *Une description* **telle** que la nature paraît idéalisée.
Telles et telles circonstances.	■ **Telle** et **telle** circonstances. →(Vous pouvez écrire indifféremment : Des machines **tels** les tracteurs. Des machines **telles** les tracteurs.)

d. Leur + nom
Leurs + nom

Les machines font tout à leurs places.	■ Les machines font tout à **leur place** (=à la place des ouvriers).
La nature et le berger sont proches, ce qui favorise leurs communications.	■ La nature et le berger sont proches, ce qui favorise **leur communication** (=la communication entre eux).
On amasse les vieux objets. Qu'importe leurs provenances.	■ On amasse les vieux objets. Qu'importe **leur provenance** (=la provenance de ces objets).
Ils satisfont leur besoin primaire.	■ *Ils* satisfont **leurs besoins** primaires. (Se nourrir, dormir...) →(Vous pouvez écrire indifféremment : Ils aiment **leur métier**. Ils aiment leurs métiers).

n'écrivez pas	écrivez

e. Les numéraux

Il avait quatres châteaux.

- Il avait **quatre** châteaux.

« Les Milles et Une Nuits. »

- « Les **Mille** et Une Nuits. »

> **NB**   Quatre et mille sont invariables.

En mil quatre cents quatre-vingts douze.

- En mil **quatre cent quatre-vingt** douze.
  Mais : quatre cents ; quatre-vingts.
  → (Quand « vingt » et « cent » sont multipliés, et non suivis d'un autre numéral, ils prennent la marque du pluriel.)

f. Demi/demie

Dans la demie-heure qui suivit...

- Dans la **demi-heure** qui suivit...
  mais : une heure et demie ;
  une douzaine et demie.

La phrase 7

Phrases incomplètes
Phrases disloquées (tout à fait illogiques)
Les pièges de la coordination
Les incohérences de genre, nombre,
personne, au sein de la phrase
Les fautes relatives à l'interrogation
Les fautes relatives à la négation

1. Phrases incomplètes

n'écrivez pas	*écrivez*
Idée d'abondance dans ce texte.	■ Ce texte **évoque** (suggère) l'abondance.
Puis, nouvelle modification du paysage.	■ Par la suite, le paysage **se modifie** à nouveau.
Elle raconte son histoire. Patois.	■ Elle raconte son histoire **en patois**.
La femme est vieille, laide. Conclusion : l'auteur fait un portrait réaliste.	■ La femme est vieille, laide. **Nous pouvons penser que** l'auteur fait un portrait réaliste.
On nous fait poursuivre des études. Question de rentabilité.	■ On nous fait poursuivre des études. **C'est une question** de rentabilité.
On ne peut faire ce qu'on veut. Exemple, pour construire une maison...	■ On ne peut faire ce qu'on veut. **Par exemple**, pour construire une maison...

2. Phrases disloquées (1)

Les voyages nous forment l'esprit en découvrant de nouveaux paysages.	■ Les voyages nous forment l'esprit **en nous permettant de découvrir** de nouveaux paysages. (C'est nous qui découvrons.)
Il va jusqu'à repeindre sa voiture pour être méconnaissable.	■ Il va jusqu'à repeindre sa voiture **pour qu'elle soit** méconnaissable.
L'ouvrier privé de nature, l'angoisse l'envahit.	■ L'ouvrier privé de nature **se laisse envahir** par l'angoisse.
Le héros s'appelle Simon qui fait ses études dans une école militaire.	■ **Le héros, qui s'appelle Simon, fait** ses études dans une école militaire.
Sophie et le cinéaste vivent en bons camarades qui fait place à l'amour.	■ Sophie et le cinéaste vivent en bons camarades. **Bientôt, l'amitié fait place** à l'amour.
Il aurait pu les aider que de mourir.	■ Il aurait pu les aider **plutôt que (de)** mourir.
Il se dirigera plutôt vers la télévision que la bibliothèque.	■ Il se dirigera vers la télévision **plutôt que** vers la bibliothèque.

3. Phrases disloquées (2)
Les pièges de la coordination

> **NB**   La coordination marque le rapport d'égalité existant entre des éléments de même nature.
> Ex. : Je parle *l'anglais* et *le russe*.
>   1   1 bis

Notre société s'intéresse et produit le machinisme.	■ Notre société s'intéresse au machinisme et le produit.
(= notre société s'intéresse le machinisme et produit le machinisme.)	(= notre société s'intéresse au machinisme et produit le machinisme.)

n'écrivez pas	*écrivez*
J'aime et vais souvent à Paris.	■ J'aime Paris et j'y vais souvent.
Cette société, dont le but est de tirer profit et d'abêtir l'individu...	■ Cette société, dont le but est de tirer profit de l'individu et de l'abêtir...
Les gens qui habitent près ou dans ces cités...	■ Les gens qui habitent dans ces cités ou **aux alentours**...
Tout irait mieux s'il se décidait à suivre sa voie et non suivre celle d'un autre.	■ Tout irait mieux s'il se décidait a) à suivre sa voie **et non** b) à suivre celle d'un autre, *ou* : Tout irait mieux s'il se décidait à suivre a) sa voie **et non** b) celle d'un autre.
Ils ne peuvent pas quitter le réel, ni de s'élancer dans l'imaginaire.	■ Ils ne peuvent pas **quitter** le réel, ni **s'élancer** dans l'imaginaire.
Cette pièce pose la question de l'imbécillité humaine, et qui s'appelle une satire.	■ Cette pièce **pose** la question de l'imbécillité humaine et **s'appelle** une satire.
Si on progresse dans l'Histoire, et on arrive aux Croisades...	■ **Si** on progresse dans l'Histoire, et **qu'**on arrive aux Croisades... (Qu' reprend si.)

4. Les incohérences de genre, nombre et personne au sein de la phrase

a. Genre

Les personnes pressées de rentrer chez eux...	■ *Les personnes* pressées de rentrer chez **elles**...
Les personnes qui se replient sur eux-mêmes...	■ *Les personnes* qui se replient sur **elles-mêmes**...

b. Nombre

Ce couple qui payait leur dette... (la sienne...).

■ *Ce couple* qui payait **sa** dette...

L'Homme communique de plus en plus entre eux.

■ *L'Homme* communique de plus en plus **avec ses semblables.**
ou : Les hommes communiquent de plus en plus **entre eux.**

Il faut analyser chaque personnage pour comprendre leurs réactions.

■ Il faut analyser *chaque personnage* pour comprendre **ses** réactions.

c. Personne

Il faut être sûrs de nos goûts.

■ *Il* faut être sûr de **ses** goûts.

Notre patrimoine, c'est ce que nous créons en s'inspirant du passé.

■ *Notre* patrimoine, c'est ce que *nous* créons en **nous** inspirant du passé.

Pourquoi va-t-on prendre des vacances loin de chez nous ?

■ Pourquoi va-t-*on* prendre des vacances loin de chez **soi** ?

On ne doit pas se replier sur nous-mêmes.

■ *On* ne doit pas se replier sur **soi** (sur soi-même).

5. L'interrogation : fautes courantes

a. Interrogation directe

Sinon, comment Corneille aurait écrit «le Cid» ?

■ Sinon, *comment* Corneille **aurait-il écrit** «le Cid» ?

Qu'est-ce que l'auteur a-t-il voulu dire ?

■ *Qu'est-ce que* l'auteur **a voulu** dire ?
ou : Qu'**a voulu** dire l'auteur ?

b. Interrogation indirecte

Je me demande pourquoi les gens se précipitent-ils ?
■ *Je me demande pourquoi* les gens **se précipitent.**

La question est de savoir de quelle manière opère-t-il ?
■ La question est de *savoir de quelle manière* **il opère.**

On peut se poser la question si ces décisions ne sont pas trop hâtives.
■ On peut se poser la question **de savoir si** ces décisions ne sont pas trop hâtives.

Il se questionne s'il l'a tuée.
■ **Il se demande s'**il l'a tuée.

6. La négation : fautes courantes

a. Oubli de « ne »

Personne lui parle
■ **Personne ne** lui parle.

Il a vu personne.
■ Il **n'**a vu **personne**.

Rien le fait changer.
■ **Rien ne** le fait changer.

Il attend rien de son métier.
■ Il **n'**attend **rien** de son métier.

Il l'avait jamais remarquée.
■ Il **ne** l'avait **jamais** remarquée.

Il verra plus Marie.
■ Il **ne** verra **plus** Marie.

Cela doit pas servir à masquer les difficultés.
■ Cela **ne** doit **pas** servir à masquer les difficultés.

Pourquoi pas essayer ?
■ Pourquoi **ne pas** essayer ?

On hésite pas.
■ On **n'**hésite **pas**.

On en parlait pas.
■ On **n'**en parlait **pas**.

n'écrivez pas	*écrivez*
On y allait pas souvent.	■ On **n'**y allait **pas** souvent.
Il y en n'a pas toujours.	■ Il **n'**y en a **pas** toujours.
Il n'en n'est pas de même.	■ Il **n'**en est **pas** de même.
Notre monde pense qu'à produire.	■ Notre monde **ne** pense **qu'**à produire. (=Notre monde **ne** pense à **rien sauf** à produire.)
On est informé que rarement.	■ On **n'**est informé **que** rarement.
Cette démonstration, logique qu'en apparence...	■ Cette démonstration **n'**est logique **qu'**en apparence.
En distribuant que...	■ En **ne** distribuant **que**...

b. Aucun

Ce texte a aucun sens.	■ Ce texte **n'**a **aucun** sens.
Il n'a aucunes utilités.	■ Il n'a aucune utilité.
Aucunes ne viendra.	■ Aucune ne viendra.
Aucun ne parle pas.	■ **Aucun ne parle.**
Cet homme ne veut pas parler sous aucun prétexte.	■ Cet homme **ne** veut **parler** sous **aucun** prétexte.

c. Aussi ; non plus

Il ne viendra pas aussi.	■ Il **ne** viendra pas **non plus.**
Elle aussi n'essaie pas de comprendre.	■ Elle **non plus n'**essaie **pas** de comprendre.
Il ne doit pas aussi se laisser prendre au piège.	■ Il **ne** doit pas **non plus** se laisser prendre au piège.

d. Et ; ni

Ce n'est pas ni vrai ni faux.

■ Ce n'est **ni** vrai **ni** faux.
ou : Ce n'est **pas** vrai, **ni** faux.

Il ne peut pas et ne veut le sauver.

■ Il **ne** peut **ni ne** veut le sauver.
ou : Il **ne** peut pas le sauver et **ne** le veut pas.

On ne connaît pas sa personnalité et ses buts.

■ On **ne** connaît **pas** sa personnalité, **ni** ses buts.
ou : On **ne** connaît **ni** sa personnalité **ni** ses buts.

e. Sans que

C'est une drogue qu'on donne aux spectateurs sans qu'ils ne s'en aperçoivent.

■ C'est une drogue qu'on donne aux spectateurs **sans qu'ils s'en aperçoivent**.

Financièrement, il s'en tire sans que sa femme ne travaille.

■ Financièrement, il s'en tire **sans que sa femme travaille**.

f. Double négation

Vous n'êtes pas sans ignorer...
(= vous ignorez).

■ **Vous n'êtes pas sans savoir...**
(= vous savez).

Je ne pense pas que les femmes ne sachent pas lutter car elles sont faibles.
(= Je pense que les femmes savent lutter car elles sont faibles.)

■ Je ne pense pas que les femmes **sachent** lutter car elles sont faibles.

> **NB** - **ne** est le terme négatif par excellence ;
> - **ni** remplace « et » dans une proposition négative ;
> - **non plus** remplace « aussi » dans une proposition négative (en général) ;
> - la tournure restrictive est « ne...que » ;
> - **sans** et **sans...que** se construisent sans « ne » ;
> - attention aux négations qui s'annulent.

8

Répétitions inutiles et mots superflus (ou : pléonasmes et redondances)

n'écrivez pas	*écrivez*

a. « Y » formant pléonasme

Dans ce domaine, il n'y trouve que des satisfactions.

■ *Dans ce domaine,* **il ne trouve que** des satisfactions.

Dans cette recherche, nous voulons y retrouver la vie de l'auteur.

■ *Dans cette recherche,* **nous voulons retrouver** la vie de l'auteur.

À la télévision, la publicité y est intéressante.

■ *À la télévision,* **la publicité est** intéressante.

Ces cavernes où l'on voit qu'il y subsiste des traces de vie...

■ *Ces cavernes où l'on voit* **qu'il subsiste** des traces de vie...
→(Employé dans la même proposition, « y » ferait double emploi avec :
Dans ce domaine
Dans cette recherche
À la télévision
Où.)

b. «En» formant pléonasme

De cet exemple, on en déduit...

■ *De cet exemple* **on déduit...**

De cet exemple, il en résulte...

■ *De cet exemple* **il résulte...**

n'écrivez pas	écrivez
De l'évolution, il en résulte la civilisation.	■ *De l'évolution* **résulte** la civilisation.
D'où il en résulte...	■ *D'où* il **résulte**...
Une catastrophe dont il aura du mal à s'en remettre...	■ Une catastrophe *dont* il aura du mal à **se remettre**...
Les guerres, dont on pourrait s'en passer...	■ Les guerres, *dont* on pourrait **se passer**...

c. «Elle/il» formant pléonasme

La voiture, elle lui était utile.	■ *La voiture* lui **était** utile.
Les gens qui lisent le journal, ils seront bien informés.	■ *Les gens* qui lisent le journal **seront** bien informés.
Une société où l'individu se sent bien en elle...	■ *Une société où* l'individu **se sent bien**... → («elle», «ils», «en elle», feraient respectivement double emploi avec : «la voiture», «les gens», «où».)

d. «En»/adjectif possessif «dont»/adjectif possessif

C'est le contexte qui en définira son sens.	■ C'est le contexte qui *en* définira **le** sens. *ou* : C'est le contexte qui définira **son** sens.
Ses yeux dont il sait contrôler leur éclat...	■ Ses yeux *dont* il sait contrôler **l'éclat**...

e. Adverbes formant pléonasme

Ce n'est qu'uniquement par le travail...	■ Ce **n'est que** par le travail... *ou* : *C'est* par le travail **uniquement**...

n'écrivez pas	*écrivez*
Ce n'est seulement que dans la troisième strophe...	■ *Ce n'est* **que** dans la troisième strophe... *ou* : C'est **seulement** dans la troisième strophe... (« Ne...que » implique déjà une restriction.)
En ne se bornant qu'aux faits...	■ En **se bornant** aux faits...
Un livre ne se résume pas qu'à une collection de mots.	■ Un livre ne **se résume** pas à une collection de mots.
Il s'en tient seulement à...	■ Il **s'en tient** à...
Ils se contentent seulement de...	■ Ils **se contentent** de... (Le sens de ces verbes implique déjà une restriction.)
À la télévision américaine, les séquences publicitaires sont nombreuses, voire même envahissantes.	■ À la télévision américaine, les séquences publicitaires sont nombreuses, **et même** envahissantes. *ou* : À la télévision (...) **voire** envahissantes. (Voire = et même.)

f. Conjonctions formant pléonasme

J'aime ce poème, mais { cependant / pourtant / toutefois } je le trouve un peu compliqué.	■ J'aime ce poème, **mais** je le trouve un peut compliqué. (opposition forte.) *ou* : J'aime ce poème, **cependant** (pourtant, toutefois) je le trouve un peu compliqué. (opposition atténuée.)
Elle acheta l'horloge à crédit, car en effet elle la trouvait belle.	■ Elle acheta l'horloge à crédit, **car** elle la trouvait belle. *ou* : Elle acheta l'horloge à crédit ; **en effet**, elle la trouvait belle.

n'écrivez pas	_écrivez_

g. Pléonasmes divers

Le rang le plus inférieur.	■ Le rang **inférieur** (comparatif). _ou_ : le rang le plus bas.
Le moindre petit défaut.	■ Le **moindre** défaut. _ou_ : le plus petit défaut. (« moindre » = plus petit.)
Un fait concret.	■ Un **fait**.
Un exemple concret.	■ Un **exemple**.
Son apparence extérieure.	■ **Son apparence**.
Prévoir à l'avance.	■ **Prévoir**.
Préférer volontiers.	■ **Préférer**.
Dans notre société contemporaine.	■ Dans **notre société**. _ou_ : Dans _les sociétés contemporaines_.
Moi, personnellement, je pense que...	■ **Je pense** que...
Il n'y avait pas de prêts qui existaient.	■ **Il n'y avait pas** de prêts. _ou_ : Les prêts **n'existaient pas**.
Ce document nous apporte des réponses à nos questions.	■ Ce document _nous apporte_ **des réponses**. _ou_ : Ce document **apporte des réponses** _à nos questions_.
Aux yeux des lecteurs, Hugo présente pour eux plus d'intérêt que Camus.	■ _Aux yeux des lecteurs,_ Hugo présente plus d'intérêt que Camus. _ou : Pour les lecteurs,_ Hugo présente plus d'intérêt que Camus.

9

Barbarismes et impropriétés

Mots estropiés
Mots forgés par vous
Mots pris l'un pour l'autre
Jargon technique
Les mariages malheureux

n'écrivez pas	*écrivez*

a. Mots estropiés

Ce n'est qu'une anecdocte.	■ Ce n'est qu'une **anecdote**.
Une contreverse.	■ Une controverse.
En définitif.	■ En définitive.
Il est placé devant un dilemne.	■ Il est placé devant un dilemme.
Ect...	■ **Etc...** (à employer le moins possible).
Il était comme hynoptisé.	■ Il était comme **hypnotisé** (l'hypnose).
Un labs de temps s'écoula.	■ Un laps de temps s'écoula.
Candide cesse d'être obtimiste.	■ Candide cesse d'être optimiste.

b. Mots forgés

La communicabilité entre les êtres.	■ La **communication** entre les êtres.
La nature enchanteresque.	■ La nature **enchanteresse**.

n'écrivez pas	*écrivez*

Le progrès génère les problèmes.

■ Le progrès **engendre** les problèmes.

Il existe encore des hommes qui infériorisent les femmes.

■ Il existe encore des hommes qui **considèrent** les femmes comme des **inférieures**
(qui les rabaissent).

La majestuosité du spectacle.

■ La **majesté** du spectacle.

Ils paniquaient tellement...

■ C'était **une telle panique** qu'ils...
(Ils éprouvaient une telle panique qu'ils...)

La remémoration de son enfance lui fait du bien.

■ Le **souvenir** de son enfance lui fait du bien.
ou : **Les réminiscences** de son enfance lui font du bien.

Ce n'est pas ainsi que nous obtiendrons la résolution de nos difficultés.

■ Ce n'est pas ainsi que nous **résoudrons** nos difficultés.

La civilisation moderne robotise l'individu.

■ La civilisation moderne **transforme** l'individu **en robot**
(fait de lui un robot ; le mécanise).

Peut-être les savants pourront-ils solutionner ces questions.

■ Peut-être les savants pourront-ils **résoudre** ces questions.
(y répondre ; leur trouver une solution).

La ville est de plus en plus stressante.

■ La ville est de plus en plus **oppressante,** angoissante.

La vie d'usine stresse l'individu.

■ La vie d'usine **impose des tensions** à l'individu.

Les Blancs ont voulu supérioriser les Noirs.

■ Les Blancs ont voulu **dominer** les Noirs.
ou : Les Blancs ont voulu **imposer leur « supériorité »** aux Noirs.

c. Confusions entre des homonymes
   (Exemple : par, part)

Ils vont de paire.	■ **Ils vont de pair.** (= Ils sont semblables, comme les Pairs d'Angleterre sont égaux entre eux.)
De part le Roi.	■ **De par le Roi** (= au nom du Roi).
En temps qu'écrivain, il est humaniste.	■ **En tant qu'**écrivain, il est humaniste.
Il était égoïste, voir égocentrique.	■ Il était égoïste, **voire** égocentrique.

d. Autres confusions

À cause de ses relations, il avait trouvé un emploi.	■ **Grâce à** ses relations, il avait trouvé un emploi.
Scapin lui afflige des coups de bâton.	■ Scapin lui **inflige** des coups de bâton. (Affliger quelqu'un = l'attrister.)
Elle se présenta aisément devant le ministre.	■ Elle se présenta devant le ministre **avec aisance** (= sans timidité, avec naturel).
Ce sont des gens qui vivent aisément.	■ Ce sont des gens qui vivent **dans l'aisance** (qui sont à l'aise) (aisément = facilement).
Ceux qui ne sont pas contents ont l'alternative de s'en aller.	■ Ceux qui ne sont pas contents **peuvent choisir** de s'en aller. (**Une alternative** = un double choix ; par exemple : partir ou rester.)
L'auteur nous amène dans un autre monde.	■ L'auteur nous **emmène** (nous emporte) dans un autre monde.
Il amena ses livres.	■ Il **apporta** ses *livres*. (On **amène** une *personne*.)

n'écrivez pas	écrivez
Ce qu'il dit a attrait à l'absurdité de la vie.	■ Ce qu'il dit **a trait** à l'absurdité de la vie (= concerne l'absurdité).
Il est compréhensif que cette autorité s'affirme.	■ Il est compréhen**sible** que cette autorité s'affirme. (On peut comprendre pourquoi.) (Un homme compréhensif = un homme indulgent.)
La conjecture locale lui a permis de fonder un commerce.	■ La conj**onc**ture locale lui a permis de fonder un commerce (= les conditions locales). (= Une conjecture = une hypothèse.)
On le trouvait dénudé de tout sentiment.	■ On le trouvait **dénué de** tout sentiment (= dépourvu de, privé de). (Cf. le dénuement.)
L'école provoque le désintéressement des élèves.	■ L'école provoque le **désintérêt** des élèves. (L'école ne les passionne pas.) (Le désintéressement = la générosité.)
Les O.S., ce sont surtout des femmes et des travailleurs émigrés.	■ Les O.S., ce sont surtout des femmes et des travailleurs **immigrés** (= des travailleurs étrangers). (Un émigré = celui qui quitte son propre pays.)
Une réforme des structures est éminente.	■ Une réforme des structures est **imm**inente (= elle aura lieu bientôt). (Éminent : important parce que remarquable ; très qualifié.)
Ce texte est emprunt de nostalgie.	■ Ce texte est **empreint** de nostalgie (une empreinte). *mais* : Il emp**ru**nte de l'argent (un emprunt). Il emp**ru**nte le métro.
Pour vivre sans souffrir, il faut mieux être inconscient.	■ Pour vivre sans souffrir, il **vaut** mieux être inconscient (= il est préférable d'être...).

n'écrivez pas	écrivez
À une époque où les arts étaient fleurissants...	■ À une époque où les arts étaient **florissants**... (en plein essor, prospères). De même : Une santé **florissante**. Un commerce **florissant**.
Grâce aux sons et aux images, le poète invoque bien la solitude.	■ Grâce aux sons et aux images, le poète **évoque** bien la solitude (il la suggère). (**Invoquer** Dieu : faire appel à lui. **Invoquer** une maladie : la prendre pour prétexte pour échapper à une corvée.)
Le poème se compose de quatre paragraphes.	■ Le poème se compose de quatre **strophes**.
La race humaine.	■ **L'espèce** humaine. (Une espèce = plusieurs races).
Pour Camus, l'homme absurde réalise un jour le vide de l'existence.	■ Pour Camus, l'homme absurde **prend conscience**, un jour, **du** vide de l'existence. (Réaliser = créer.)
Maupassant et Zola sont des Réalismes.	■ Maupassant et Zola sont des **Réalistes**. (Le Réalisme = la théorie des Réalistes.)
Dans ses romans, Zola donne des détails réels.	■ Dans ses romans, Zola donne des détails **réalistes** (= des détails qui représentent, qui reproduisent la réalité).
Il résonne bien mal celui qui pense que...	■ Il **raisonne** bien mal celui qui pense que... (raisonner = utiliser sa raison ; résonner = émettre un son).
Tous les partis politiques tendent de nous séduire.	■ Tous les partis politiques **tentent de** nous séduire (= ils essaient de nous séduire). *Mais* : Tous les partis tendent à nous séduire (ils ont tendance à... leur but est de...).

e. Le jargon technique

n'écrivez pas	écrivez
La science accélère.	■ La science **évolue de plus en plus vite.** (Une voiture accélère. On accélère une vitesse, un mouvement, des travaux.)
Les auditeurs attendent le déclenchement de la symphonie.	■ Les auditeurs attendent : **le commencement** (langue banale) ; **les premières mesures**, l'attaque (termes musicaux). (On déclenche un mécanisme.)
Il semble que ce qu'il dit soit fiable.	■ Il semble que ce qu'il dit soit **crédible.** *ou* : Il semble qu'on puisse **se fier à** ce qu'il dit.
Être performant.	■ **Réaliser** des **performances.**
L'auteur positionne l'événement qu'il va raconter.	■ L'auteur **situe** l'événement qu'il va raconter.
Il faut stopper toutes ces innovations.	■ Il faut **enrayer** toutes ces innovations. *ou* : Il faut cesser d'innover.
Les parents visionnent l'avenir de leurs enfants.	■ Les parents **envisagent** l'avenir de leurs enfants.
L'Art nous permet de visionner les réalités invisibles.	■ L'Art nous permet de **visualiser** (de **concrétiser**) les réalités invisibles. (On visionne un film pour l'étudier.)

f. Les mariages malheureux

n'écrivez pas	écrivez
Les ingrédients de la Nature.	■ Les **éléments** de la nature. (Un ingrédient : terme culinaire.)
Les inconvénients que nous procure le progrès.	■ **Les inconvénients du progrès.** (On procure quelque chose d'utile ou d'agréable.)
Exercer une doctrine.	■ **Appliquer** une doctrine. (On exerce la médecine, une profession, son cerveau, ses muscles.)
Une analyse inconsciente.	■ Une **analyse** (= travail cérébral conscient).

10 | La langue écrite est plus rigoureuse que la langue parlée, évitez donc:

Les termes trop familiers
Les clichés (expressions banales,
usées à force d'usage)
Les mots passe-partout
Les grosses maladresses

1. Termes familiers

n'écrivez pas   *écrivez*

a. Expression de la quantité

Le texte présente des tas d'idées originales.	■ Le texte présente des idées originales **en grand nombre**. *ou* : Le texte présente **bon nombre** d'idées originales.
Des tas d'objets anciens sont volés.	■ **Quantité d'**objets anciens sont volés. *ou* : **Une foule d'**objets anciens sont volés.
Énormément de gens.	■ **Beaucoup, quantité de** gens, **de très nombreuses** personnes.
Énormément d'informations, énormément d'événements.	■ **Une foule,** une multitude, d'informations, d'événements.

b. « Je suis d'accord »

Je suis d'accord.	■ Je suis **de cet avis**.
Je suis d'accord avec l'auteur.	■ **Je partage l'avis**, l'opinion **de** l'auteur.
D'accord pour le progrès, mais...	■ Le progrès, **soit !** Mais...

c. Ça

Ça ne me plaît pas.	■ **Cela** ne me plaît pas.
Ils pensent à ça.	■ Ils **y** pensent.
Le retour à la nature, ça, c'est intéressant !	■ Le retour à la nature, **voilà qui est** intéressant.
Une loi qui nous obligera à agir comme ça ou comme ça.	■ Une loi qui nous obligera à agir **de telle ou telle manière**.

d. Eh bien ! Là. Avant, après

Eh bien ! Ma foi, je crois que...	■ Je crois **vraiment** que...
Eh bien ! Je ne crois pas que...	■ Je ne crois pas que...
Eh bien, oui ! Il a raison.	■ **Certes**, il a raison.
Là, se produisit un événement.	■ **A ce moment** se produisit un événement.
Et là, il a tort.	■ **Sur ce point**, il a tort.
Dans une Faculté, on travaille. Avant, on ne pense qu'à s'amuser.	■ Dans une Faculté, on travaille. **Avant d'y entrer**, on ne pense qu'à s'amuser.
Avant, il venait tous les jours. Après, il a disparu.	■ **Auparavant**, il venait tous les jours. **Ensuite**, il a disparu.

e. Expression de la lassitude

Il en a marre de la ville.	■ **Il ne supporte plus** de vivre en ville. *ou* : **Il n'en peut plus** de vivre en ville.
La ville l'embête.	■ La ville **l'ennuie**.
Lorsqu'il en a assez de lire...	■ Lorsqu'il est **fatigué (las)** de lire...

f. Facteur

Le facteur santé de l'économie, c'est une monnaie forte.	■ **Le facteur essentiel de la bonne santé** de l'économie, c'est une monnaie forte.
Le facteur création, c'est l'imagination.	■ **La source de toute création**, c'est l'imagination.
L'imagination est un facteur vie.	■ L'imagination est **une source de vie**.

g. « Au courant »

Tous les hommes sont au courant de ce qui se passe.	■ Tous les hommes **sont informés de** ce qui se passe.
L'auteur ne semble pas être très au courant.	■ L'auteur semble **assez mal informé**.

2. Clichés, mots passe-partout, grosses maladresses

a. L'auteur, le texte, et vous

L'auteur veut nous faire découvrir (ou : nous faire comprendre) la nature humaine.	■ **Ce texte permet une meilleure compréhension**, une meilleure connaissance de la nature humaine.
Le texte (ou l'auteur) nous décrit, nous montre, nous démontre, nous évoque...	■ Le texte décrit, montre, démontre, évoque...

n'écrivez pas	*écrivez*
Il nous plante le décor.	■ Il plante le décor devant nos yeux.
Il nous définit sa conception de la religion.	■ Il définit pour nous sa conception de la religion.
L'auteur dans sa citation...	■ L'auteur, dans **cette** citation...
L'auteur cite que...	■ L'auteur **dit que, précise que**...
Dans ce texte, l'auteur fait passer un message. Il veut faire passer ses idées.	■ Dans ce texte, l'auteur exprime son sentiment, ses opinions, ses convictions, sur telle question. Il construit une argumentation, analyse, raisonne, discute... Il veut convaincre, émouvoir...
Il ressort de ce texte une impression de tristesse.	■ Le texte **donne** (ou **laisse**) une impression de tristesse. *ou :* **Il se dégage du texte** une impression de tristesse.
Le réalisme qui ressort du texte...	■ **Le réalisme du texte**...
Les images font ressortir le côté dramatique du texte.	■ Les images **renforcent**, soulignent, accusent, mettent en relief... le caractère dramatique du texte.
L'auteur, de par ses images puissantes...	■ L'auteur, **par la puissance** *de ses images*... L'auteur, **au moyen d'images** *puissantes*... L'auteur, **grâce à des images** *puissantes*...
L'auteur a un style spécial, un vocabulaire spécial.	■ Un style, un vocabulaire, riche, vivant, coloré, ou très simple, ou limpide ou technique...
Les envolées lyriques de l'auteur...	■ **Le lyrisme** de l'auteur, les passages lyriques...

b. Problème

Nous allons traiter le problème.   ■ Nous allons traiter **cette question.**

Un problème apparaît.   ■ **Une difficulté,** un obstacle surgit.

c. Chose

On ne peut lutter contre toutes ces cho- ■ On ne peut lutter contre **ces réalités,**
ses.   **ces faits.**

Toutes les choses du passé.   ■ Tous **les événements** passés.

L'art est une chose qui nous fait réflé- ■ **L'art** nous fait réfléchir.
chir.

Il existe une chose qui évolue avec rapi- ■ Il existe **un domaine** qui évolue avec
dité.   rapidité.

Les choses de la vie.   ■ **Les événements,** les incidents, les
  menus faits de la vie.

d. Omniprésent

Ce mot est omniprésent dans le texte. ■ Ce mot est **répété** *à plusieurs reprises*
  dans le texte.
  Il revient très souvent.

Les sonorités en « r », omniprésentes ■ Les sonorités en « r », **très nombreuses**
dans le texte...   dans le texte...

Le goût de l'aventure est de plus en plus ■ Le goût de l'aventure **se répand,** se
omniprésent.   retrouve dans tous les milieux.

La crise n'était pas encore omnipré- ■ La crise n'était pas encore **aussi pro-**
sente.   **fonde, aussi générale.**
  mais : Dieu est omniprésent.
  La Nature est omniprésente.

e. Le temps. Le progrès

Le progrès est roi ; l'innovation est reine.	■ Le progrès (technique) **domine** tout, **envahit** tous les domaines.
Les envahisseurs (il s'agit des ordinateurs).	■ Les ordinateurs nous **envahissent**.
Nous sommes dans l'engrenage. L'engrenage du progrès.	■ Le progrès est **inéluctable**.
La vie de la nature n'a rien à voir avec la vie active.	■ La vie de la nature n'a rien à voir **avec celle des hommes.** (La vie active = la vie professionnelle.)
Métro, boulot, dodo.	■ *Le rythme monotone de la vie quotidienne.*
Le ras-le-bol.	■ *La saturation, le dégoût.*

f. Maladresses diverses

Nous manifestons une autosatisfaction.	■ *Nous sommes contents de nous (-mêmes).*
Pour ce faire, il a utilisé...	■ **Pour réaliser ce projet,** il a utilisé...
Les activités économiques de pointe, à savoir la métallurgie et l'automobile...	■ Les activités économiques de pointe, **c'est-à-dire** la métallurgie et l'automobile...
Au niveau descriptif...	■ **Sur le plan de** la description... **Quant à** la description...

Annexe

Orthographe des mots couramment employés par les candidats

A

il a
il va à Paris
aberrant
une aberration
absent
accessible
(s') accommoder de
accueil
une aggravation
aggraver
agrandir
agresser
une agression
l'aliénation
une allitération
amener
apercevoir
un aperçu
apitoyer
une apparence
un appel
appeler
j'appelle
apprécier
un apprenti
un artisan
une assonance

une atmosphère
une attrape
attraper
une autorité
une aventure

B

un bouleversement
bouleverser

C

une catégorie
un cauchemar
(être) censé (de)
certes
un champ
une citation
citer
un citoyen
la compréhension
concerner
la concurrence
contemporain
un contrôle

contrôler
une coordination
un corollaire
(ils) courent
courir

D

dangereusement
dangereux
davantage
débarrasser
une décennie
décerner
un décor
un défi
un degré
aux dépens de
le déshonneur
déshonorant
il développe
un développement
développer
difficile
une difficulté
discerner
un discours
une discussion
une dissertation

E

un écrivain
efficace
éliminer
un émigré
une émission
un emploi
énorme

s'ensuivre
un entretien
(il) s'envole
s'envoler
éprouver
un essor
un événement
évidemment
excellent
une exception
(un fait) exceptionnel
(une prime) exceptionnelle
un excès
(un ton) excessif
un exercice
l'existence
exorbitant
l'expansion

F

un fabricant
une fabrication
une faculté
un fait
(en) fait
(le toit) familial
(la maison) familiale
familier
la foi
fuir

G

la gaieté
la gaîté
(en) général
généralement
un gouffre
une grandeur
guère (= pas beaucoup)
la guerre

H

le hasard
un héros
l'honneur
honorable
honorer
hormis
hostile

I

l'imagination
une imitation
un immigré
inaccessible
inattendu
inciter
l'incompétence
l'incompréhension
un inconvénient
inerte
inexplicable
infatigable
ininterrompu
inoccupé
inoffensif
inondé
insérer
intéressant
intéressé
intéresser
intérêt
(un port) international
(une ville) internationale
inutile (fém. et masc.)

J

jeter
(il) jette

L

un jeu
(entrer en) jeu
des jeux

L

le langage
un laps de temps
littéralement
une loi
lorsque

M

le maintien
malgré
une métamorphose
une métaphore
un milieu
un mythe
une mythologie

N

(un parc) national
(une route) nationale
une nationalisation
néanmoins
une nécessité
(c'est) normal
notamment
une nouveauté

O

occuper
(en l') occurrence
un œil
une opinion
or
l'orgueil

P

(aller de) pair
une paire (de gants)
paradoxalement
il paraît
paraître
parallèle
parallèlement
parce que
pàrmi
un parti (politique)
une partie
(un droit) patronal
(une décision) patronale
le patronat
un paysan
un péché (mortel ou non)
un pli
(la) plupart
plutôt
préoccuper
principalement
un professeur
une profession
le public
un gala public
(une salle) publique
la pureté

Q

qualifier
quant à
quelque chose
quelquefois
(en) quelque sorte
quelqu'un
quotidien

R

un raisonnement
raisonner (raison)
un rappel
rappeler
je rappelle
rationalisation
rationalité
rationnel (le)
récent
une recrudescence
un recueil
recueillir
une réflexion
un règne
régner
rejeter
il rejette
renouveler
il renouvelle
un repli
une résonance (son)
résonner
il révèle
révéler

S

une satire
un sculpteur
une sculpture
selon
sensé (= avoir du bon sens)
seulement
simultané
une société
soi-disant (invariable)
un souci
spatial (e)
spontané (e)

une substance
substantiel (le)
suffisant
un synonyme

T

un tabou
un technicien
un témoignage
(à) tort
(il a) tort
totalement
en train de
tranquille
tranquillement
la tranquillité

une tribu
un tribut (= un impôt)

U

utile (fém. et masc.)

V

un vieillard
une vieille (femme)
la vieillesse
violemment
une voie (ferrée)
la voix (d'un chanteur)
vraisemblable
la vraisemblance

Index

(Les chiffres renvoient aux pages.)